More su doku

and other Japanese puzzles

YUKIO SUZUKI

This edition published in 2006 by Arcturus Publishing Limited
26/27 Bickels Yard, 151–153 Bermondsey Street,
London SE1 3HA

ISBN-13: 978-1-84193-382-5
ISBN-10: 1-84193-382-1

Printed in China

Cover design by Emma Haywood

CONTENTS

INTRODUCTION

This book contains a selection of Japanese puzzles designed to develop your problem-solving skills. Each puzzle is graded as super easy, easy, intermediate or hard, and you'll find that the puzzles get more difficult as you work your way through the book.

SU DOKU

The best-known Japanese puzzle is the Su Doku, which has become extremely popular in the UK. The principle is simple: all you need to do is place a number from 1–9 in each empty square, so that every row, column and 3x3 box contains the numbers 1–9. There's no maths or guesswork involved, just logic.

SLITHERLINK

In this puzzle you need to connect adjacent dots vertically or horizontally, to form a single loop with no crossings or branches. Each number indicates how many lines surround it. Empty cells can be surrounded by any number of lines.

BRIDGES

Each circle in the puzzle contains a number that represents an island. You need to connect each island with vertical or horizontal bridges to form a continuous path connecting all the islands. The number of bridges must equal the number inside the island. There can be up to two bridges between two islands, and bridges must not cross islands or other bridges.

	9		1		6		4	
5	2		3		9		8	6
		6	4		2	9		
9	6	7				4	1	8
4	8	2				3	5	9
		8	7		3	5		
2	4		5		1		7	3
	3		8		4		6	

1			2		6		4	
		2	4					1
	9		1					
3	4	7						5
	1	9		2				
	2					7	1	6
5	3			8	2		7	
		8	7	1	4	2		
		1			9			4

				2	1			4
7			3		9		2	1
	9	1	8					
4	8		6	7			9	5
								7
3	1		9	4			8	6
	7	4	5					
9			4		7		5	8
				3	8			9

						3		
	8		6	1				
			8	2	7		1	5
4	1	5			2	8		6
		8				2	3	1
7	3	2			8	4		9
			9	8	6		4	2
	9		4	3				
						6		

					5	1		3
			4	8		9		
				3		7	4	8
	3				2	4	1	
	4	1						2
9			1		8			
3	9	4	8					5
		2	5					4
8		5		2		3	6	

8							6	
			7		9			
	5			6		9	7	1
		6		9	4		1	2
1		5	2					8
		7		8	3		9	5
	4			2		8	5	7
			9		7			
7							3	

		4	1	7	3	9		
2	6						5	3
		2	6	8	4	5		
	8	6				3	9	
		5	2	3	9	4		
3	2						4	7
		7	3	9	1	2		

						4		
3	2	8		5				9
	6		8		7			
	5	6	9	4		3	7	
	4		2					
	7	2	5	1		9	4	
	8		7		9			
6	9	1		8				7
						5		

EASY Su Doku

	9						7	
		5	1		8	6		
	3	1	7		2	8	9	
		2	6		1	9		
	5						8	
		9	4		7	2		
	2	8	3		9	7	4	
		4	2		5	3		
	1						2	

		2	8		5	4		
				4				
	4		2		1		3	
		3				7		
	9	4				5	8	
5	1						2	9
	8			2			7	
2	7	5				1	6	4
6			4		7			8

EASY Bridges

3				1		3		3
		2			3			
3				2		2		
					4			6
3		4		8			3	
	1		3		2			
3		3		2			1	
			4		5			3
3		5		3			2	

		9	2		8	3		
5			3		6			8
	8						4	
9		8	1		5	7		4
1		5	8		2	9		6
	1						8	
8			5		7			2
		6	9		4	1		

EASY Su Doku

			8				3	
	4	5	2	9	7			
9		6				1		
		4	6			7		
8	7			1		6	2	
	3	1		6	9	2		
4	5	2	1			3		
	8		3		5			

	1							9
8				2	4			
			6	8		2		
		7					4	
	9	8			3		1	2
	2			7			9	6
		3					7	
			8	3	9	5		1
2				4	5		6	

	3	2	4		5	6	8	
	8		7		6		1	
7	9		1		8		3	2
				9				
2	5		6		7		9	1
	4		9		3		6	
	2	3	5		1	9	7	

0	1		3		0	2			2
2					3			0	3
		3		2					
	0	2			2	2		3	
				3		3		3	1
2	0		2		1				
	2		2	0			0	1	
					3		1		
0	1			2					3
1			1	3		3		0	1

EASY Su Doku

		6				1		
			1		4			
9	1		8		3		6	2
		2				9		
	3		7		6		8	
7	8						1	6
3			9	7	5			8
			3		2			
4								3

							6	
3			5			2		9
		2		8	9		4	
			4			6		
	8	7	6	2		9		
			3	5	8		2	
1	2			7		3		
	7	9		6				
		6					1	

EASY Su Doku

			3			6		8
		8		6				
	5					1		3
		9		2	4		3	
2	8			9			7	5
	4		1	5		9		
6		7					1	
				1		7		
1		5			9			

			5		9			
		4				6		
	3	7	6		8	9	5	
	2		8	9	7		4	
3								9
	6		4	3	5		8	
	5	2	9		3	7	6	
		3				4		
			1		4			

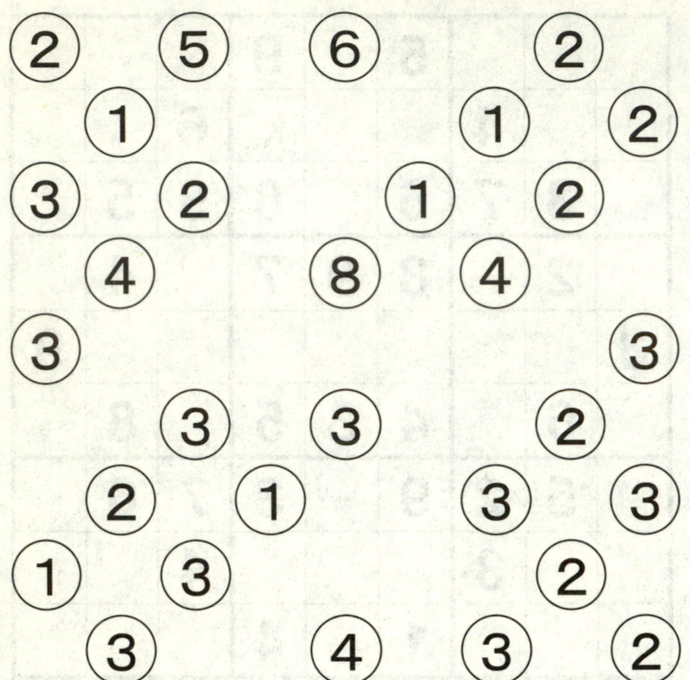

6						3		1
			9	2				
	4			6			5	8
2	7				8			
	8	5				6	1	
			5				2	3
4	9			5			8	
				9	7			
3		6						5

EASY Su Doku

	3					8		
					4		9	1
4	9	5			8			6
					2	9		7
		6	3	7	1	4		
3		8	4					
2			6			7	5	8
7	6		5					
		9					6	

	7		3	5	2			
4						5		
		3		6			2	
				9				7
8	2		4		3	1		5
		6		2				9
			7			4		
6				1				8
	3			4			1	

EASY Su Doku

5								
			2		6			
7	6	1	4	9				
				2	8		6	
	1	2		6	9	5		
			1			9	3	
2	4			1		7		
		8		7		4		
		7				2		8

	0			2	1			1	
3			3			2			0
		3					2		
	0			1	3			2	
1			0			3			2
1			3			1			0
	1			2	1			3	
		1					1		
3			2			1			2
	3			3	3			3	

EASY Su Doku

	8						5	
	6	5				7	1	
1			6		3			4
6								7
8		4	3		5	1		2
		7	8		4	5		
			2		7			
7								8
	3		4		8		7	

<table>
<tr><td>4</td><td></td><td></td><td>4</td><td></td><td>6</td><td></td><td></td><td>3</td></tr>
<tr><td></td><td>2</td><td></td><td></td><td>3</td><td></td><td>1</td><td></td><td></td></tr>
<tr><td>2</td><td></td><td></td><td></td><td></td><td></td><td></td><td></td><td></td></tr>
<tr><td></td><td>2</td><td></td><td>1</td><td></td><td>4</td><td></td><td></td><td></td></tr>
<tr><td>4</td><td></td><td>4</td><td></td><td>3</td><td></td><td>2</td><td></td><td>3</td></tr>
<tr><td></td><td></td><td></td><td>2</td><td></td><td>8</td><td></td><td>4</td><td></td></tr>
<tr><td></td><td></td><td></td><td></td><td></td><td></td><td></td><td></td><td>2</td></tr>
<tr><td></td><td></td><td>2</td><td></td><td>1</td><td></td><td></td><td>2</td><td></td></tr>
<tr><td>3</td><td></td><td></td><td>2</td><td></td><td>4</td><td></td><td></td><td>2</td></tr>
</table>

EASY Su Doku

		1					9	
4				1		2		
				6	3		1	4
	9	7	3					
6	2						5	1
					2	3	6	
3	6		7	2				
		9		4				8
	8					6		

	7							
8					5		3	
					3	7	1	8
			7	3		6		
			5		6	4		
	9	6		2				1
		1	4	6				3
	6	4						7
		2			1	5	6	

EASY Slitherlink

			2	0	1				1
2	3	2							1
			2		2	3		2	
2			1		2	0		1	
2		0					3		
		3					3		1
	2		2	3		2			0
	2		3	1		1			
2							3	1	3
0				2	3	3			

			4		8		9	
3		4	9	7				
8		6		2			4	
		1	8		7	6		
	2	7		6		1	8	
		9	1	3	4	7		
	6		7					
					2	9		

EASY Su Doku

			8					
		7		4	5			
	1		2		6	3		9
		9				5	1	7
5								4
4	8	6				9		
2		8	5		7		6	
			9	6		2		
					3			

	6	1	4		8	2		
			5			9	3	
5	1		9				7	
		7		6				
	4	6			1	3	2	
	5		8	1			9	
2		4	6		5		8	
	8				2			

EASY Su Doku

			6		4			
		2				3		
	4		1		5		7	
	3		2		7		5	
7								8
	1	6				7	2	
2			7		3			1
		1				8		
5	7		4		1		9	2

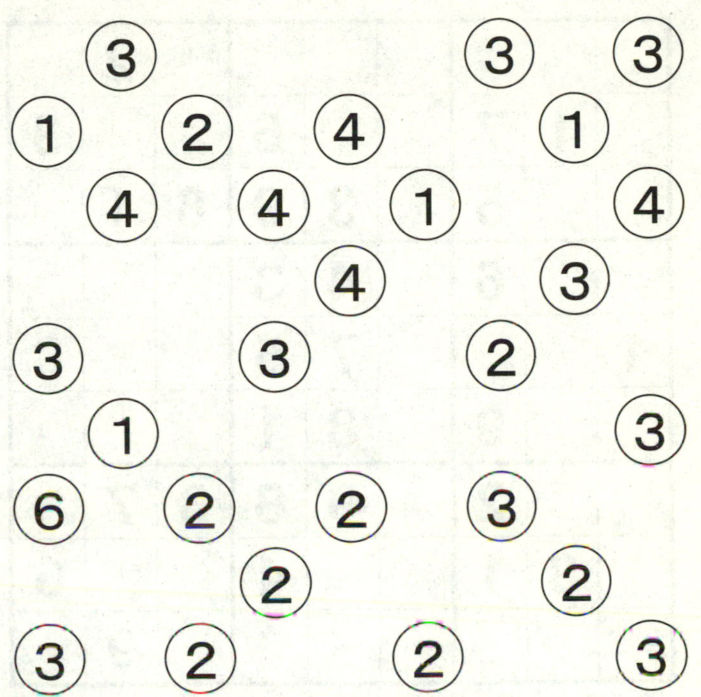

							2	
	1	7			6			3
		5		3	9	8	1	
		6		4	3			
1				7	5			8
		9		8	1			
		2		9	8	3	7	
	3	1			4			6
							9	

3			9					
	4							
9			4	3	1			
		5	2			8		
6	2	4				9		
	8				6	2		3
4				8	2			
			1	7			6	
		1		4		5		9

	6						3	
		8	5		4	1		
			1		8			
	2		3		5		4	
8	9						1	2
3								6
1		5	8		3	2		4
		9	7		2	3		

						2	9	
5								3
8					3	1		7
2		3	4			5		
	4		1					
1			7	3	6			
3	2	6			5			
		9		4				
		5	3		9	7	6	

	3	1	0			1	0	2	
3				3					
					3				3
	0	2	0			2	3	1	
1				3					
					3				0
	3	0	2			1	3	3	
1				3					
					2				3
	3	3	1			0	1	0	

								8
3				8	9			
5						4	9	2
	7		9		4		2	
	4		8			1		
	5		7		2		8	
9						5	7	6
8				6	3			
								3

EASY Su Doku

						2		3
9				8				
8	5				1	6		
1			3		8			5
				2	5			1
6			9		4			8
5	1				2	3		
3				6				
						5		4

			6	5		8		9
		1			7	4		
	3		8		9			
6		9						3
3					4	2		
	7	5		1				
1	5			8		6	9	
						7		
8			9					

EASY Su Doku

						2		
			4	5				6
	2		1	6			8	5
9	7	6				1		
					5			
8	5	2				9		
	6		2	7			3	1
			8	4				2
						6		

2		3		4			1	
					3			4
3			2					
		1			3		2	
3				3				4
	2		7			2		
					1			3
2			2					
	1			3		4		3

					8			9
	9	4	3				1	
			2					
7			8					4
8		5						
	6				7	8	2	
	4			8			6	
5	8	2	6				4	
	1			7	5			

						4		
		3	8					
	8			6	4			5
6	5		9			3		
	9	7	6			8		
				7	2		6	
				9			3	
2				8	3	1		
	7				5			

				9				
9	1						2	6
	4	5				9	3	
8			6		7			3
				3				
	6		9		2		4	
4								1
	9	2				3	8	
		8	7		4	6		

		9		8				
4	5						7	2
		8					5	
	1		8	7				3
		4		9	6			
	3		1	5				9
		5					9	
8	2						4	6
		7		6				

EASY Slitherlink

						2	0		
2	3	0	2		1			3	
					2			2	
	2	1	3			3			
0				2			1	3	
	3	0			2				2
			3			2	1	2	
	3			1					
	1			2		3	2	3	3
		3	1						

			3					
	4				9		8	
			8		2	6	3	1
	7						4	6
1			2		8			7
2	6						5	
6	1	7	9		5			
	3		1				6	
					3			

EASY Su Doku

	9			8				
	7		4		2			
		8					6	
	5				6	1		4
6			2	1	5			8
3		7	9				2	
	6					2		
			5		1		8	
				7			1	

	4		1	6		3		
6			8	3			5	1
		3		8	1	5		
							8	
		1		2	3	4		
8			4	1			9	6
	2		9	7		8		

		3				5		
	1		3		4		2	
		8		2		3		
			6		7			
9				3				6
		1				9		
6			7		9			4
2	9	7				1	3	5

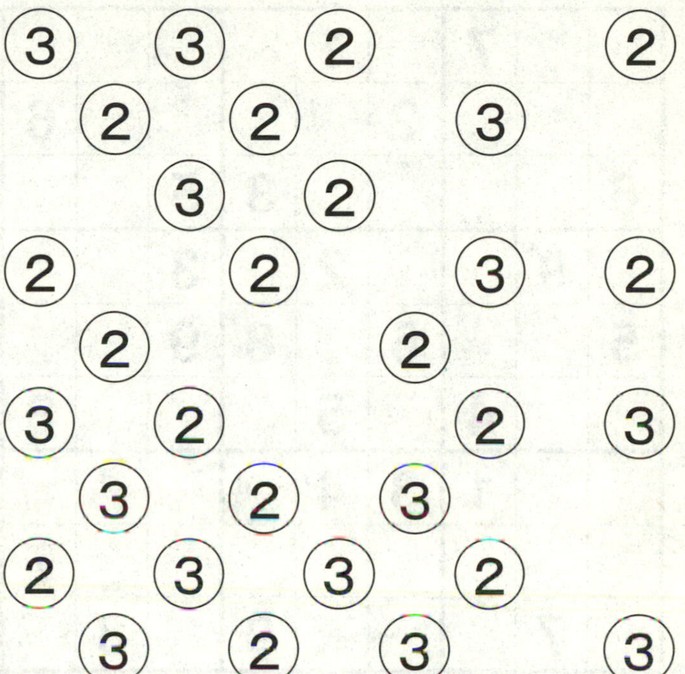

EASY Su Doku

<table>
<tr><td></td><td></td><td>7</td><td></td><td>1</td><td></td><td></td><td></td><td></td></tr>
<tr><td></td><td></td><td></td><td>2</td><td></td><td></td><td></td><td></td><td>6</td></tr>
<tr><td>6</td><td></td><td></td><td></td><td></td><td>3</td><td>5</td><td></td><td></td></tr>
<tr><td></td><td>9</td><td></td><td></td><td>2</td><td></td><td>3</td><td></td><td></td></tr>
<tr><td>5</td><td></td><td></td><td>6</td><td></td><td>8</td><td>9</td><td></td><td></td></tr>
<tr><td></td><td></td><td>4</td><td></td><td>5</td><td></td><td></td><td></td><td>8</td></tr>
<tr><td></td><td></td><td>1</td><td>3</td><td>4</td><td></td><td></td><td></td><td></td></tr>
<tr><td></td><td></td><td></td><td></td><td></td><td></td><td></td><td></td><td>7</td></tr>
<tr><td></td><td>7</td><td></td><td></td><td></td><td>9</td><td></td><td>8</td><td></td></tr>
</table>

			2	0		3		1	
3	0							3	
		3		2		3	3		
3		3			1				3
			2	1	2		3		2
3		3		1	2	2			
3				2			0		3
		3	2		1		1		
	3							3	3
	3		1		2	1			

				6				
		3				4		
4			1		3			9
		7				8		
	4		5		8		3	
8			6		7			5
	8			3			5	
6		9				3		4
3		1	9		2	6		7

				1				4
						3	5	
	3		6	9			7	
	8				2			
		3	5			8		6
7		9		4		2		
	9	7	4	5				
1		6			3	4		
	2		9					

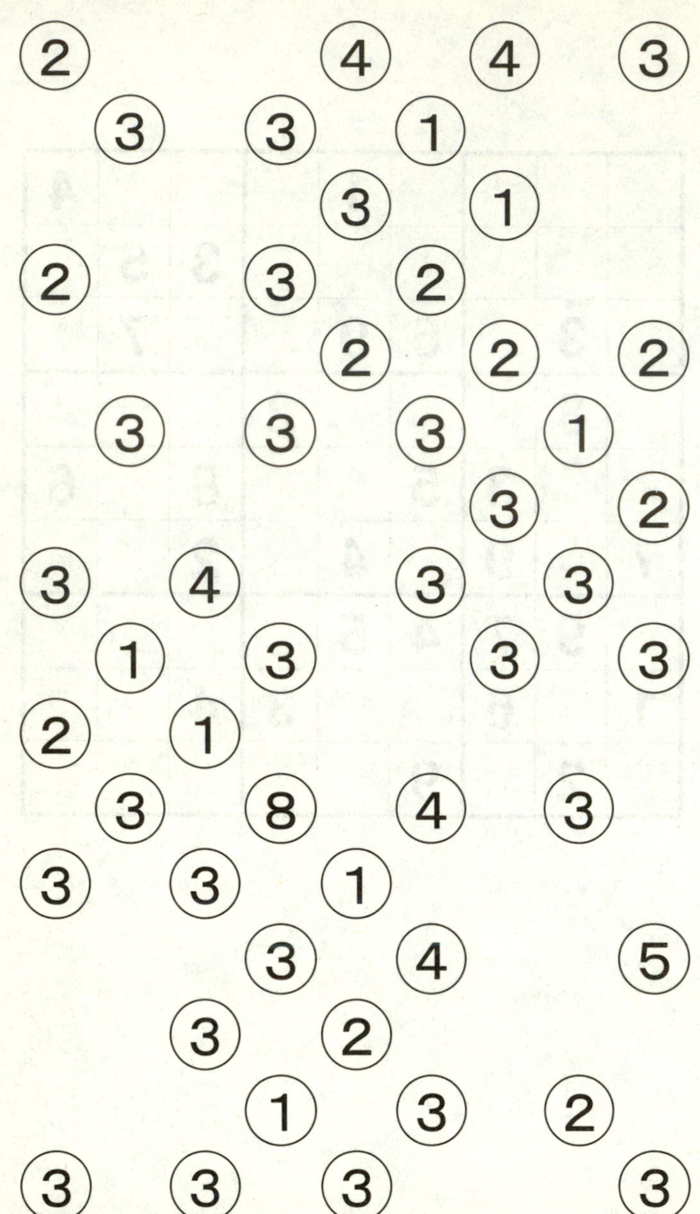

					6			
					3	7	9	8
	1						4	6
	7	1		6	4			
9	2						3	
	3	5		2	9			
	6						2	9
					5	8	7	3
					1			

	3	2	1				2	1	
0				3		3			3
2				3		1			3
	2	1	2				3	1	
					3				
2	3			1		3			1
		2		2		2		3	
	3			2		1		0	
2			3			3			1
1			2			2			2
	1		1		3			2	
	1		2		1		3		
3			2		0			2	1
				1					
	2	3				2	1	3	
2			2		2				2
1			3		3				1
	1	1				1	2	1	

		8				5		
9				5				3
3	5						9	7
		3	6		9	7		
	9						1	
		4	8		5	2		
1	7						2	5
4				3				8
		5				4		

		7				6		
			5		7			
			2	3	1			
	3						4	
5								8
8	9		4		5		7	2
	8		7		3		2	
4		3				9		1
6				4				5

		2						
	5				2	7		4
			5	4			2	
		8	3		4	6		5
6		3		2				9
		5	7		9	2		8
			4	9			6	
	1				6	8		3
		6						

		5		3			2	
				5	7	4		1
4				9	5	3		
2		9		7	1		8	
6				2	8	7		
				6	9	8		4
		6		1			3	

2		4			2			2
		3		2		4		4
2			1		2			
		3		2		2		
	2		5		4			4
2		1		3			2	
	3		3					3
2					1		4	
	2			6		2		3
4			1		2		3	
		3		2		2		
			3		3			3
2		2		1		4		
3			3			2		2

3	7		8		9		1	5
		8	1		2	3		
2		3				5		7
1			5		3			6
				4				
4		9				1		2
7		1				6		9
			9		4			

			6		9			
		3				9		
6		5				4		3
	6	7	2		3	5	9	
	5						2	
	4	2	9		1	6	3	
9		6				1		8
		4				3		
			7		4			

			4	6		7		
3	5		2			8	6	
			6	9			5	
	1	5				9	3	
	2			5	4			
	6	4			7		8	3
		7		4	5			

1								
	3							2
		7		8	2	6	4	
7		8		1			5	4
			7					
3		9		6			1	7
		6		7	9	1	8	
	5							9
9								

			3					2	
2	1	2	0		3	1	0	3	
			2					3	
	3					3			
	1	3	1	3		2	2	0	1
	1					1			
			0					3	
2	0	2	3		0	2	2	1	
			2					3	
	3					3			
	2	3	1	0		1	3	3	2
	2					2			
			2					1	
2	3	1	2		2	1	1	3	
			1					3	
	1					1			
	2	0	3	2		2	3	3	2
	3					0			

						4	7	
			1		3			8
		3		8			5	
			3		7	6	4	
		6		4				2
	9			5			8	6
	4		6	1		5		
		5			2	9		

			7	5	9			
5	2						8	1
		4		1		6		
		2				4		
9	1		2		3		5	7
	6						4	
				9				
4	8		1		6		2	9

4								7
		6				5		
		1	6		4	3		
2								9
			9		6			
5	6	9				2	3	1
				7				
3	5						1	2
		2	8		3	4		

		5	7		1	8		
7			3		8			4
	3						7	
		4	8		9	3		
	8	9				4	2	
		6	4		7	1		
	1						4	
9			6		5			8
		2	1		4	5		

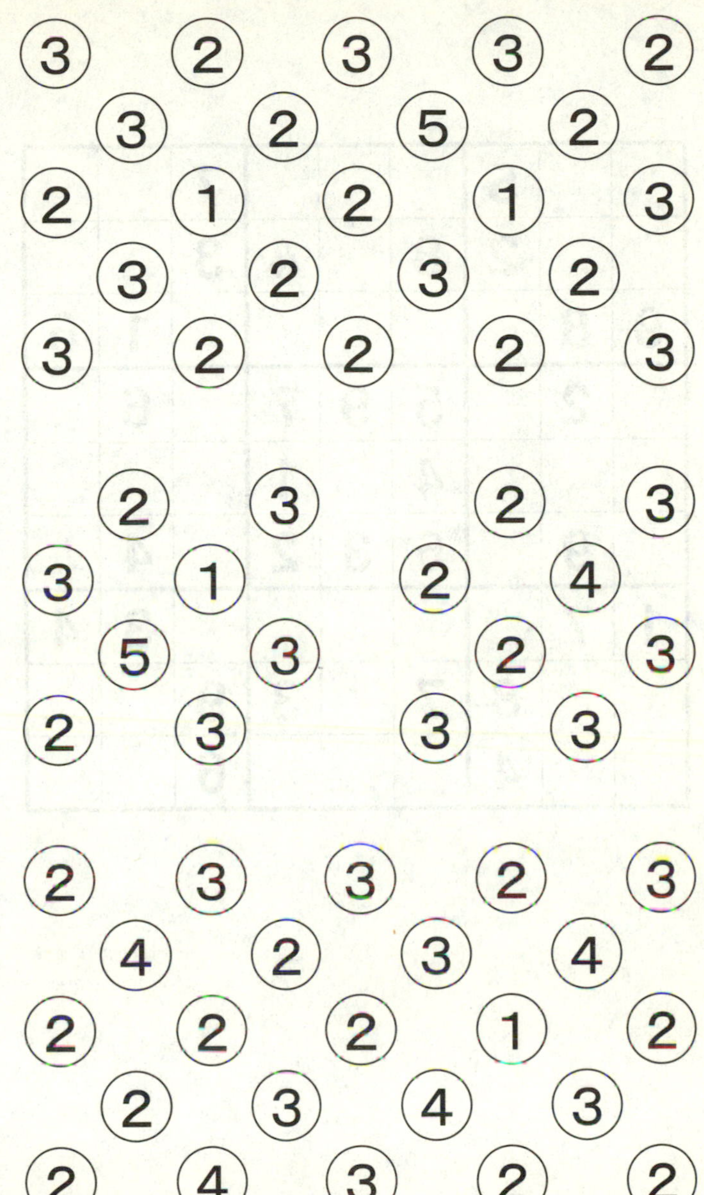

		5				7		
		2	8		4	3		
9	8						1	6
	2		5	9	7		6	
			4		1			
	9		6	3	2		4	
1	7						3	4
		8	7		3	9		
		4				6		

3	1			1			2		2
		1				1		2	
0		3				3			
2			2	3			0	3	
					3				1
	2	0			2				3
0			2			3	2		
2			3					0	
		1			2	0		2	
	3		2	2			1		
	1					1			1
		2	2			3			3
3				0			2	3	
3				1					
	2	2			1	2			1
			3				0		2
	3		0				2		
2		1			0			1	3

			2		4			
	8						2	
			1	9	7			
		5				1		
		3				4		
	6		5	1	9		3	
		8	9		2	7		
	5						6	
	1	2	7		6	5	4	

				4				
	9					7	8	4
3					5		2	
9	1			8	7			
7				5		4	3	
4	5			6	1			
8					2		4	
	7					6	1	9
				7				

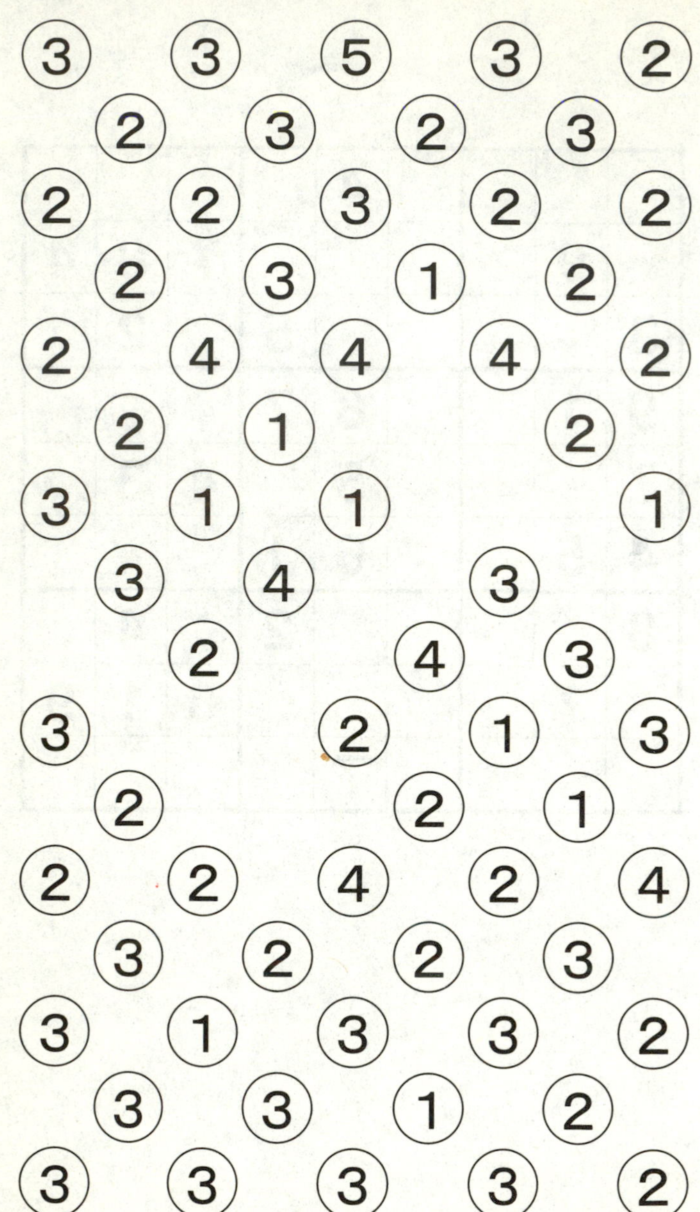
3 3 5 3 2
2 3 2 3
2 2 3 2 2
2 3 1 2
2 4 4 4 2
2 1 2
3 1 1 1
3 4 3
2 4 3
3 2 1 3
2 2 1
2 2 4 2 4
3 2 2 3
3 1 3 3 2
3 3 1 2
3 3 3 3 2

		4	5	9	3	6		
1	7		4		6		5	3
	4		9	5	8		6	
5			6		2			4
	6		1	3	4		2	
7	3		8		5		4	9
		5	3	4	1	7		

7								8
5			8		4			1
	4	9				2	6	
1	3		2		9		7	4
			6		8			
9	6		1		7		2	3
	5	1				3	9	
6			4		3			5
3								2

				6				
			3		9	2	7	8
	3			5	4			
2		1	6				9	4
	5							
7		3	4				2	1
	9			4	3			
			9		1	7	4	6
				2				

INTERMEDIATE Su Doku

		1		7				
	8		6			4		1
	4					7	2	
	6	3			8	1		
			1					4
	9	8			5	3		
	1					6	3	
	5		3			2		8
		2		9				

		3					1		
3		0		2	3		1		0
	2		2			1		3	
2	0		1	0	2	0		2	3
	1		2			2		1	
3		3		0	2		0		1
		1					2		
		1					1		
2		0		1	3		3		1
	1		2			1		1	
2	3		1	0	2	1		1	0
	3		1			2		2	
1		1		3	3		2		0
		1					1		

	7	1				2	8	
4		9	8		6	5		7
9								4
2			5	9	8			1
		8				6		
				3				
	8		7		9		3	
7	6						4	2

				1	4	2		
				2	7			6
			1		8			
	2	7			3	1		
	3	8	9	6				4
	7			4			6	2
						5		8
		3			9	4	1	

9				6				7
1	8		9		7		3	6
4	5		6		3		1	8
		8	7		9	6		
3	9		8		5		4	2
8	2		5		1		6	9
5				3				4

				7				
			3		8	7		2
			9				4	3
	6	7	2					1
4				9	7			5
	5			6			8	7
	1							
		4			6			8
	7	2	5	3	4		1	

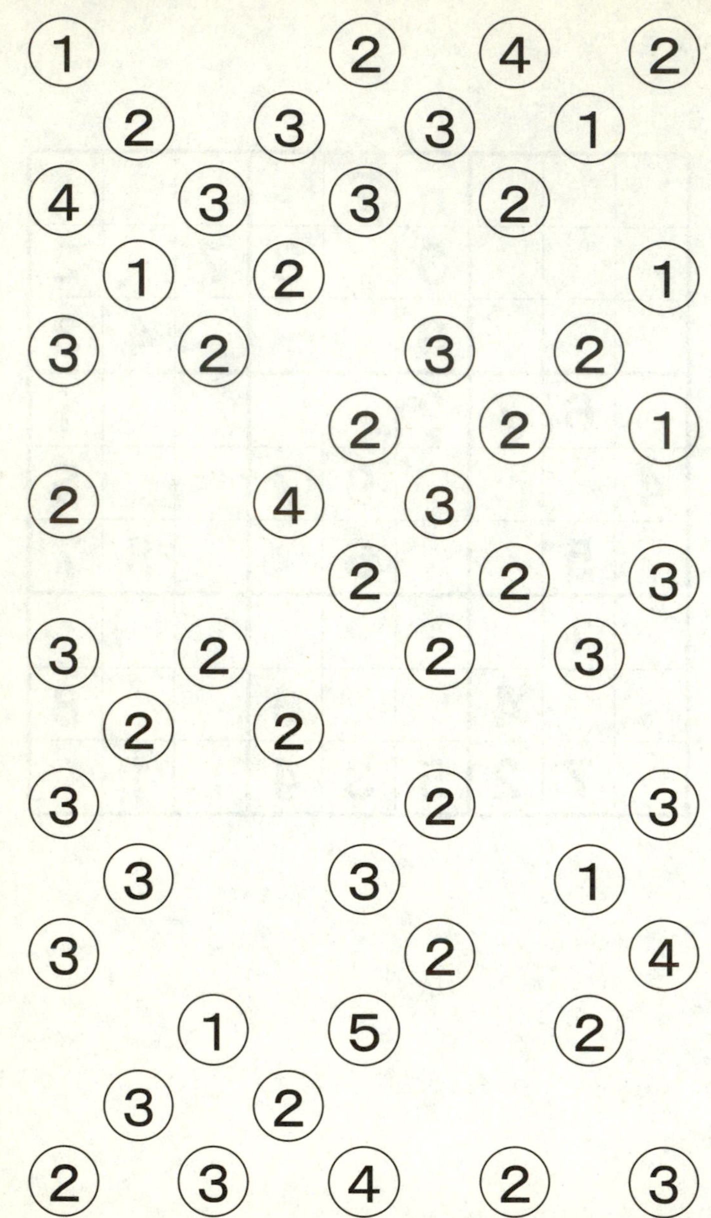

						2	9	7
			1	3	5		4	
		9	4			8		
	7	3	8		9	4	5	
		2			3	1		
	9		7	6	2			
2	1	6						

					3			
			5	1				
		6	8	7				
	6	5			2			9
	9	8				6	4	
2			1		9	5		8
				2	1	7	9	
				3		4	2	
			7		5			3

	3	3			1			2			2	0	
3			1		2			1		1			1
1			2			0	3			1			3
				2					0				
	2	0			3			2			2	3	
0			1		3			0		3			1
2			2			1	3			3			1
				0					1				
	2	2			1			1			2	3	
2			2			3	3			3			2
3				2					1				1
	0	3			3			2			3	1	
	1	2			0			0			1	1	
1				2					2				1
2			3			2	3			3			1
	3	1			3			1			1	0	
				3					3				
3			2			3	1			2			1
1			1		3			2		3			2
	2	3			2			0			3	3	
				1					3				
2			3			1	3			1			2
1			0		3			1		1			1
	3	3			2			2			1	3	

9				5	7		1	
4						9	7	6
		7	8	1	9			2
				2	5		9	
		2	7	6	4			8
1						6	8	9
7				9	2		4	

				5				
			8		6			
	2	7				8	1	
9		1				5		8
			5		2			
8								7
		9				4		
		8	9		1	2		
4	3						9	1

		6		4			3	
4			2			9	1	
	5				8	3		7
3			9		7	1		
	8				4	6		2
6			1			4	2	
		8		7			6	

2		3				2	2	2			1	2	2				3		3
1			2		3				0	2				1		2			3
	2		3			3	2	2			3	2	2			2		2	
	2			1											2			1	
		2		2					1	2					0		2		
3		2			0		3	2			0	2		2			3		2
2			0		2				2	2				2		2			2
			3			2							0			3			
	2			2		0			0	1			1		3			0	
1	2	1		1			2		2	1		3			2		3	2	2
	3				2		2					3		1				1	
					3			3			2			0					
	2	3	3			2							2			0	2	2	
1				1		3			3	3			2		1				1
	2	2	1				0		2	1		0				2	3	2	
							2					1							
	3	3	2	1	2			3			1			2	2	2	1	3	
3						0		3			3		2						1
1						1		3			2		0						2
	1	3	3	2	2			1			2			1	3	2	3	3	
							2					3							
	2	2	1				2		3	2		2				1	2	2	
2				3		2			2	2			3		3				0
	3	0	2			2							2			0	2	3	
					1			2			2			1					
	2				1		2					2		2				1	
3	2	2		1			0		1	1		3			1		2	1	2
	3			2		2			3	1			2		0			0	
			2			2							3			2			
0			0		2				2	2				1		1			2
1		2			2		2	0			1	3		0			3		2
		2		0					2	1					2		0		
	1			2											2			2	
	2		1			2	2	0			2	3	1			3		2	
2			2		3				3	1				1		3			0
0		3				1	2	1			1	0	2				2		1

		9			7			
7				6			2	1
	6	3	4					
			2		8	6		
	7							8
			5		6	4		
	3	1	8					
5				3			8	4
		2			1			

HARD Slitherlink

4				6				3
			8		2			
		9	1	5	4	7		
	8	4				3	6	
9		2				1		8
	6	5				4	9	
		3	4	1	5	8		
			6		8			
8				9				5

page 6

8	9	3	1	5	6	7	4	2
5	2	4	3	7	9	1	8	6
1	7	6	4	8	2	9	3	5
9	6	7	2	3	5	4	1	8
3	5	1	9	4	8	6	2	7
4	8	2	6	1	7	3	5	9
6	1	8	7	2	3	5	9	4
2	4	9	5	6	1	8	7	3
7	3	5	8	9	4	2	6	1

page 9

1	2	7	5	4	9	3	6	8
5	8	9	6	1	3	7	2	4
6	4	3	8	2	7	9	1	5
4	1	5	3	9	2	8	7	6
9	6	8	7	5	4	2	3	1
7	3	2	1	6	8	4	5	9
3	7	1	9	8	6	5	4	2
2	9	6	4	3	5	1	8	7
8	5	4	2	7	1	6	9	3

page 7

1	8	3	2	9	6	5	4	7
7	5	2	4	3	8	6	9	1
4	9	6	1	7	5	3	8	2
3	4	7	8	6	1	9	2	5
6	1	9	5	2	7	4	3	8
8	2	5	9	4	3	7	1	6
5	3	4	6	8	2	1	7	9
9	6	8	7	1	4	2	5	3
2	7	1	3	5	9	8	6	4

page 10

4	8	7	6	9	5	1	2	3
2	1	3	4	8	7	9	5	6
6	5	9	2	3	1	7	4	8
5	3	8	7	6	2	4	1	9
7	4	1	3	5	9	6	8	2
9	2	6	1	4	8	5	3	7
3	9	4	8	1	6	2	7	5
1	6	2	5	7	3	8	9	4
8	7	5	9	2	4	3	6	1

page 8

5	3	8	7	2	1	9	6	4
7	4	6	3	5	9	8	2	1
2	9	1	8	6	4	5	7	3
4	8	2	6	7	3	1	9	5
6	5	9	1	8	2	4	3	7
3	1	7	9	4	5	2	8	6
8	7	4	5	9	6	3	1	2
9	2	3	4	1	7	6	5	8
1	6	5	2	3	8	7	4	9

page 11

8	7	9	4	1	2	5	6	3
6	3	1	7	5	9	2	8	4
2	5	4	3	6	8	9	7	1
3	8	6	5	9	4	7	1	2
1	9	5	2	7	6	3	4	8
4	2	7	1	8	3	6	9	5
9	4	3	6	2	1	8	5	7
5	1	8	9	3	7	4	2	6
7	6	2	8	4	5	1	3	9

page 12

8	5	4	1	7	3	9	2	6
7	9	3	5	6	2	8	1	4
2	6	1	9	4	8	7	5	3
9	3	2	6	8	4	5	7	1
4	8	6	7	1	5	3	9	2
1	7	5	2	3	9	4	6	8
3	2	9	8	5	6	1	4	7
5	1	8	4	2	7	6	3	9
6	4	7	3	9	1	2	8	5

page 15

3	6	2	8	9	5	4	1	7
1	5	7	6	4	3	8	9	2
9	4	8	2	7	1	6	3	5
8	2	3	1	5	9	7	4	6
7	9	4	3	6	2	5	8	1
5	1	6	7	8	4	3	2	9
4	8	1	5	2	6	9	7	3
2	7	5	9	3	8	1	6	4
6	3	9	4	1	7	2	5	8

page 13

7	1	9	3	6	2	4	8	5
3	2	8	1	5	4	7	6	9
5	6	4	8	9	7	1	2	3
1	5	6	9	4	8	3	7	2
9	4	3	2	7	6	8	5	1
8	7	2	5	1	3	9	4	6
2	8	5	7	3	9	6	1	4
6	9	1	4	8	5	2	3	7
4	3	7	6	2	1	5	9	8

page 16

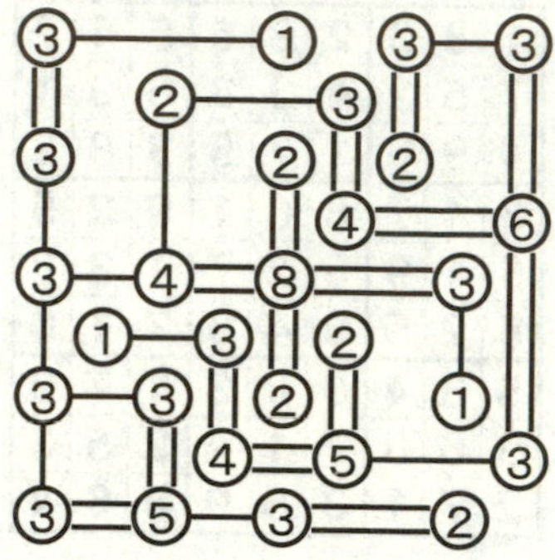

page 14

8	9	6	5	3	4	1	7	2
2	7	5	1	9	8	6	3	4
4	3	1	7	6	2	8	9	5
3	4	2	6	8	1	9	5	7
6	5	7	9	2	3	4	8	1
1	8	9	4	5	7	2	6	3
5	2	8	3	1	9	7	4	6
9	6	4	2	7	5	3	1	8
7	1	3	8	4	6	5	2	9

page 17

4	6	9	2	5	8	3	1	7
5	7	1	3	4	6	2	9	8
3	8	2	7	9	1	6	4	5
9	3	8	1	6	5	7	2	4
6	2	7	4	3	9	8	5	1
1	4	5	8	7	2	9	3	6
7	1	4	6	2	3	5	8	9
8	9	3	5	1	7	4	6	2
2	5	6	9	8	4	1	7	3

page 18

2	6	8	5	3	1	9	4	7
1	9	7	8	4	6	5	3	2
3	4	5	2	9	7	8	1	6
9	2	6	7	5	3	1	8	4
5	1	4	6	8	2	7	9	3
8	7	3	9	1	4	6	2	5
7	3	1	4	6	9	2	5	8
4	5	2	1	7	8	3	6	9
6	8	9	3	2	5	4	7	1

page 19

4	1	2	3	5	7	6	8	9
8	6	5	9	2	4	1	3	7
3	7	9	6	8	1	2	5	4
6	3	7	1	9	2	8	4	5
5	9	8	4	6	3	7	1	2
1	2	4	5	7	8	3	9	6
9	5	3	2	1	6	4	7	8
7	4	6	8	3	9	5	2	1
2	8	1	7	4	5	9	6	3

page 20

1	6	7	3	8	9	5	2	4
9	3	2	4	1	5	6	8	7
4	8	5	7	2	6	3	1	9
7	9	6	1	5	8	4	3	2
3	1	8	2	9	4	7	5	6
2	5	4	6	3	7	8	9	1
8	4	1	9	7	3	2	6	5
6	2	3	5	4	1	9	7	8
5	7	9	8	6	2	1	4	3

page 21

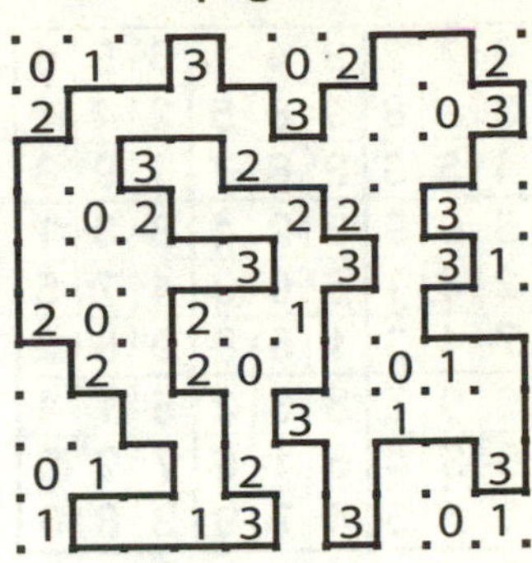

page 22

8	4	6	2	9	7	1	3	5
2	5	3	1	6	4	8	7	9
9	1	7	8	5	3	4	6	2
1	6	2	4	3	8	9	5	7
5	3	9	7	1	6	2	8	4
7	8	4	5	2	9	3	1	6
3	2	1	9	7	5	6	4	8
6	7	8	3	4	2	5	9	1
4	9	5	6	8	1	7	2	3

page 23

7	9	5	2	3	4	1	6	8
3	4	8	5	1	6	2	7	9
6	1	2	7	8	9	5	4	3
2	5	3	4	9	7	6	8	1
4	8	7	6	2	1	9	3	5
9	6	1	3	5	8	7	2	4
1	2	4	8	7	5	3	9	6
8	7	9	1	6	3	4	5	2
5	3	6	9	4	2	8	1	7

page 24

9	7	2	3	4	1	6	5	8
3	1	8	9	6	5	2	4	7
4	5	6	2	8	7	1	9	3
5	6	9	7	2	4	8	3	1
2	8	1	6	9	3	4	7	5
7	4	3	1	5	8	9	6	2
6	9	7	8	3	2	5	1	4
8	3	4	5	1	6	7	2	9
1	2	5	4	7	9	3	8	6

page 25

6	8	1	5	4	9	2	3	7
5	9	4	3	7	2	6	1	8
2	3	7	6	1	8	9	5	4
1	2	5	8	9	7	3	4	6
3	4	8	2	6	1	5	7	9
7	6	9	4	3	5	1	8	2
4	5	2	9	8	3	7	6	1
8	1	3	7	2	6	4	9	5
9	7	6	1	5	4	8	2	3

page 26

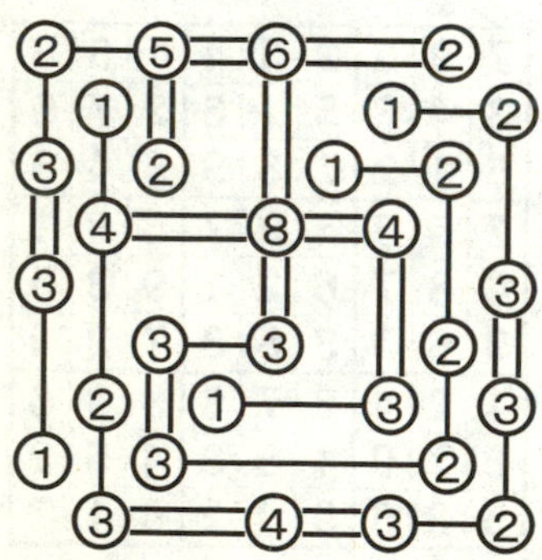

page 27

6	5	2	7	8	4	3	9	1
8	3	1	9	2	5	7	6	4
7	4	9	1	6	3	2	5	8
2	7	3	6	1	8	5	4	9
9	8	5	4	3	2	6	1	7
1	6	4	5	7	9	8	2	3
4	9	7	3	5	6	1	8	2
5	1	8	2	9	7	4	3	6
3	2	6	8	4	1	9	7	5

page 28

1	3	7	9	5	6	8	2	4
6	8	2	7	3	4	5	9	1
4	9	5	1	2	8	3	7	6
5	1	4	8	6	2	9	3	7
9	2	6	3	7	1	4	8	5
3	7	8	4	9	5	6	1	2
2	4	3	6	1	9	7	5	8
7	6	1	5	8	3	2	4	9
8	5	9	2	4	7	1	6	3

page 29

9	7	1	3	5	2	6	8	4
4	6	2	1	8	7	5	9	3
5	8	3	9	6	4	7	2	1
3	1	5	6	9	8	2	4	7
8	2	9	4	7	3	1	6	5
7	4	6	5	2	1	8	3	9
1	9	8	7	3	6	4	5	2
6	5	4	2	1	9	3	7	8
2	3	7	8	4	5	9	1	6

page 30

5	2	3	7	8	1	6	4	9
8	9	4	2	5	6	3	7	1
7	6	1	4	9	3	8	2	5
3	7	9	5	2	8	1	6	4
4	1	2	3	6	9	5	8	7
6	8	5	1	4	7	9	3	2
2	4	6	8	1	5	7	9	3
1	3	8	9	7	2	4	5	6
9	5	7	6	3	4	2	1	8

page 31

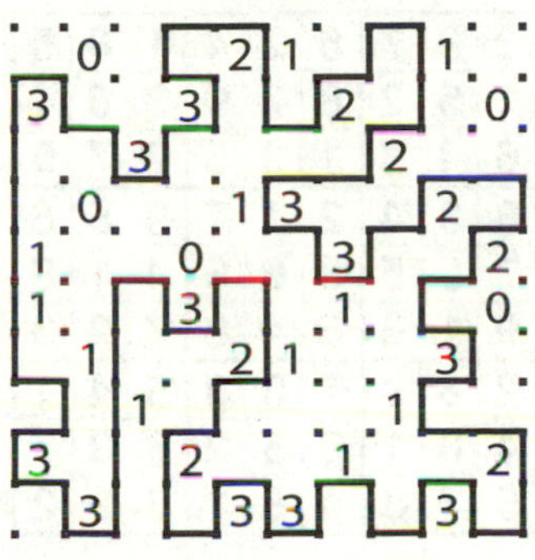

page 32

3	8	2	7	4	1	9	5	6
4	6	5	9	8	2	7	1	3
1	7	9	6	5	3	8	2	4
6	5	3	1	2	9	4	8	7
8	9	4	3	7	5	1	6	2
2	1	7	8	6	4	5	3	9
5	4	8	2	3	7	6	9	1
7	2	1	5	9	6	3	4	8
9	3	6	4	1	8	2	7	5

page 33

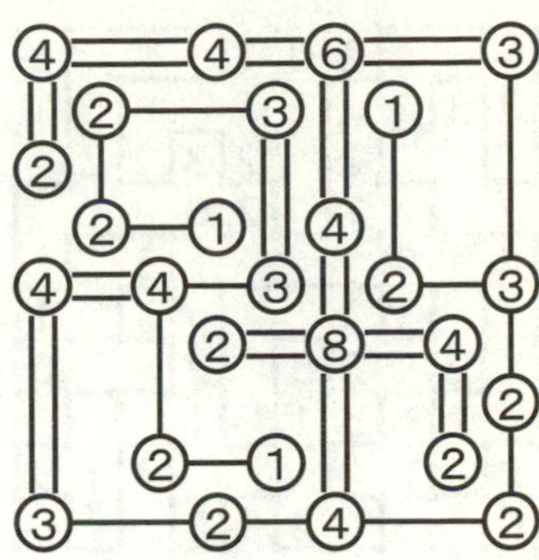

page 34

8	3	1	2	7	4	5	9	6
4	5	6	8	1	9	2	7	3
9	7	2	5	6	3	8	1	4
1	9	7	3	5	6	4	8	2
6	2	3	4	8	7	9	5	1
5	4	8	1	9	2	3	6	7
3	6	5	7	2	8	1	4	9
2	1	9	6	4	5	7	3	8
7	8	4	9	3	1	6	2	5

page 35

1	7	3	6	8	2	9	4	5
8	4	9	1	7	5	2	3	6
6	2	5	9	4	3	7	1	8
4	1	8	7	3	9	6	5	2
2	3	7	5	1	6	4	8	9
5	9	6	8	2	4	3	7	1
9	5	1	4	6	7	8	2	3
3	6	4	2	5	8	1	9	7
7	8	2	3	9	1	5	6	4

page 36

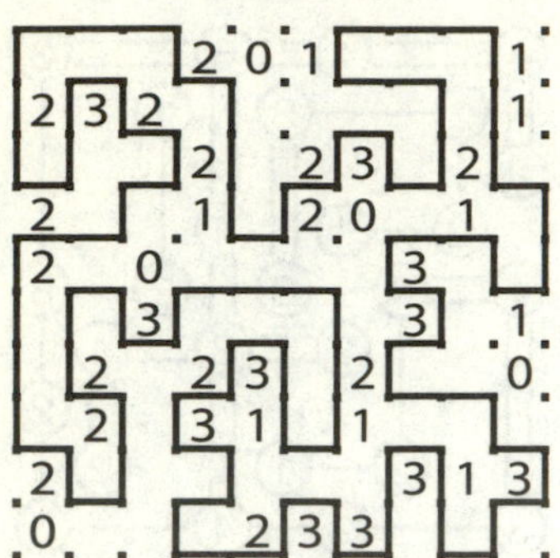

page 37

9	8	5	2	1	3	4	7	6
6	7	2	4	5	8	3	9	1
3	1	4	9	7	6	8	5	2
8	9	6	3	2	1	5	4	7
5	3	1	8	4	7	6	2	9
4	2	7	5	6	9	1	8	3
2	5	9	1	3	4	7	6	8
1	6	8	7	9	5	2	3	4
7	4	3	6	8	2	9	1	5

page 38

6	5	2	8	3	9	7	4	1
9	3	7	1	4	5	8	2	6
8	1	4	2	7	6	3	5	9
3	2	9	6	8	4	5	1	7
5	7	1	3	9	2	6	8	4
4	8	6	7	5	1	9	3	2
2	9	8	5	1	7	4	6	3
1	4	3	9	6	8	2	7	5
7	6	5	4	2	3	1	9	8

page 39

7	3	5	1	2	9	8	4	6
9	6	1	4	3	8	2	5	7
4	2	8	5	7	6	9	3	1
5	1	2	9	8	3	6	7	4
3	9	7	2	6	4	5	1	8
8	4	6	7	5	1	3	2	9
6	5	3	8	1	7	4	9	2
2	7	4	6	9	5	1	8	3
1	8	9	3	4	2	7	6	5

page 40

3	9	7	6	2	4	1	8	5
1	5	2	8	7	9	3	6	4
6	4	8	1	3	5	2	7	9
8	3	4	2	1	7	9	5	6
7	2	5	3	9	6	4	1	8
9	1	6	5	4	8	7	2	3
2	8	9	7	6	3	5	4	1
4	6	1	9	5	2	8	3	7
5	7	3	4	8	1	6	9	2

page 41

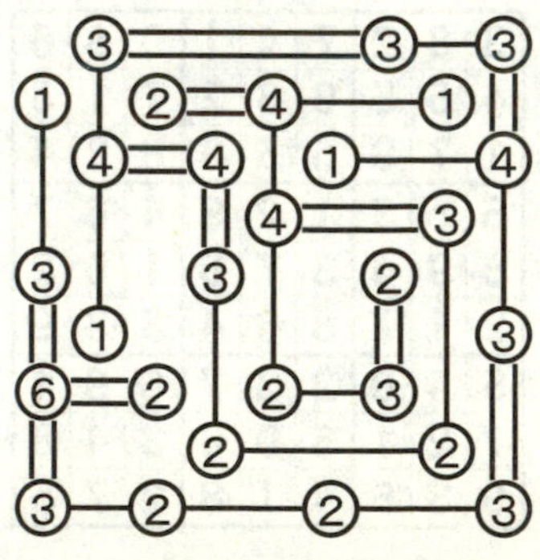

page 42

3	9	4	8	1	7	6	2	5
8	1	7	5	2	6	9	4	3
2	6	5	4	3	9	8	1	7
7	8	6	2	4	3	1	5	9
1	2	3	9	7	5	4	6	8
5	4	9	6	8	1	7	3	2
6	5	2	1	9	8	3	7	4
9	3	1	7	5	4	2	8	6
4	7	8	3	6	2	5	9	1

page 45

6	3	1	5	8	7	2	9	4
5	7	2	9	1	4	6	8	3
8	9	4	2	6	3	1	5	7
2	6	3	4	9	8	5	7	1
9	4	7	1	5	2	8	3	6
1	5	8	7	3	6	9	4	2
3	2	6	8	7	5	4	1	9
7	8	9	6	4	1	3	2	5
4	1	5	3	2	9	7	6	8

page 43

3	1	7	9	2	5	6	8	4
5	4	2	8	6	7	3	9	1
9	6	8	4	3	1	7	5	2
7	3	5	2	9	4	8	1	6
6	2	4	3	1	8	9	7	5
1	8	9	7	5	6	2	4	3
4	9	6	5	8	2	1	3	7
2	5	3	1	7	9	4	6	8
8	7	1	6	4	3	5	2	9

page 46

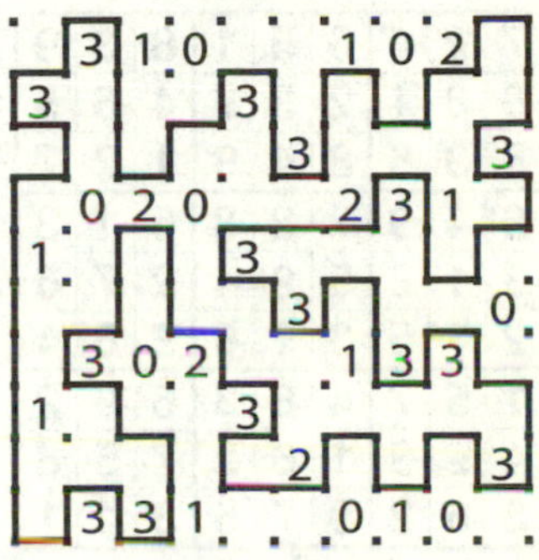

page 44

9	6	7	2	8	1	4	3	5
5	1	4	9	3	6	8	2	7
2	3	8	5	7	4	1	6	9
4	5	6	1	2	8	9	7	3
7	2	1	3	9	5	6	4	8
8	9	3	6	4	7	5	1	2
3	8	2	4	1	9	7	5	6
1	7	5	8	6	3	2	9	4
6	4	9	7	5	2	3	8	1

page 47

7	9	1	4	2	5	3	6	8
3	2	4	6	8	9	7	5	1
5	8	6	3	7	1	4	9	2
1	7	8	9	3	4	6	2	5
2	4	9	8	5	6	1	3	7
6	5	3	7	1	2	9	8	4
9	3	2	1	4	8	5	7	6
8	1	7	5	6	3	2	4	9
4	6	5	2	9	7	8	1	3

SOLUTIONS 48–53

page 48

7	6	1	4	5	9	2	8	3
9	4	3	2	8	6	1	5	7
8	5	2	7	3	1	6	4	9
1	2	9	3	7	8	4	6	5
4	7	8	6	2	5	9	3	1
6	3	5	9	1	4	7	2	8
5	1	7	8	4	2	3	9	6
3	9	4	5	6	7	8	1	2
2	8	6	1	9	3	5	7	4

page 51

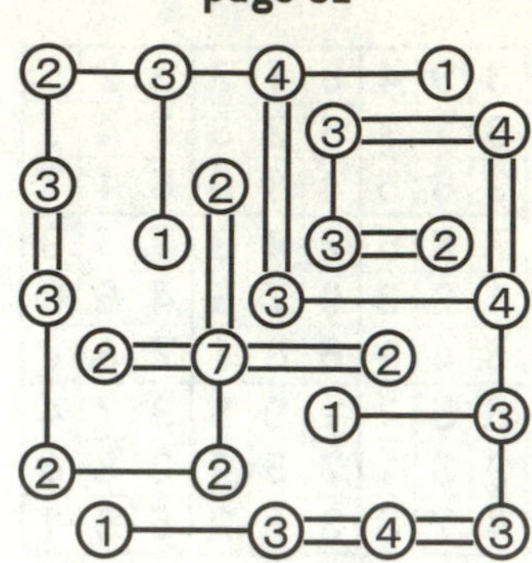

page 49

7	2	4	6	5	1	8	3	9
9	8	1	2	3	7	4	6	5
5	3	6	8	4	9	1	2	7
6	4	9	7	2	8	5	1	3
3	1	8	5	9	4	2	7	6
2	7	5	3	1	6	9	8	4
1	5	7	4	8	3	6	9	2
4	9	3	1	6	2	7	5	8
8	6	2	9	7	5	3	4	1

page 52

1	5	6	7	4	8	2	3	9
2	9	4	3	5	6	7	1	8
3	7	8	2	9	1	4	5	6
7	2	1	8	6	3	5	9	4
8	3	5	9	2	4	6	7	1
4	6	9	5	1	7	8	2	3
9	4	7	1	8	2	3	6	5
5	8	2	6	3	9	1	4	7
6	1	3	4	7	5	9	8	2

page 50

6	4	5	9	8	3	2	1	7
7	1	8	4	5	2	3	9	6
3	2	9	1	6	7	4	8	5
9	7	6	3	2	8	1	5	4
4	3	1	6	9	5	7	2	8
8	5	2	7	1	4	9	6	3
5	6	4	2	7	9	8	3	1
1	9	3	8	4	6	5	7	2
2	8	7	5	3	1	6	4	9

page 53

9	2	6	1	5	7	4	8	3
5	4	3	8	2	9	7	1	6
7	8	1	3	6	4	2	9	5
6	5	2	9	4	8	3	7	1
4	9	7	6	3	1	8	5	2
1	3	8	5	7	2	9	6	4
8	1	4	2	9	6	5	3	7
2	6	5	7	8	3	1	4	9
3	7	9	4	1	5	6	2	8

page 54

6	8	7	2	9	3	4	1	5
9	1	3	8	4	5	7	2	6
2	4	5	1	7	6	9	3	8
8	2	4	6	1	7	5	9	3
5	7	9	4	3	8	1	6	2
3	6	1	9	5	2	8	4	7
4	5	6	3	8	9	2	7	1
7	9	2	5	6	1	3	8	4
1	3	8	7	2	4	6	5	9

page 57

8	2	1	3	5	6	9	7	4
3	4	6	7	1	9	5	8	2
7	9	5	8	4	2	6	3	1
9	7	8	5	3	1	2	4	6
1	5	4	2	6	8	3	9	7
2	6	3	4	9	7	1	5	8
6	1	7	9	8	5	4	2	3
5	3	2	1	7	4	8	6	9
4	8	9	6	2	3	7	1	5

page 55

2	7	9	5	8	1	6	3	4
4	5	1	6	3	9	8	7	2
3	6	8	2	4	7	9	5	1
9	1	2	8	7	4	5	6	3
5	8	4	3	9	6	2	1	7
7	3	6	1	5	2	4	8	9
6	4	5	7	2	3	1	9	8
8	2	3	9	1	5	7	4	6
1	9	7	4	6	8	3	2	5

page 58

5	9	6	1	8	7	4	3	2
1	7	3	4	6	2	8	5	9
4	2	8	3	5	9	7	6	1
8	5	2	7	3	6	1	9	4
6	4	9	2	1	5	3	7	8
3	1	7	9	4	8	5	2	6
7	6	1	8	9	3	2	4	5
9	3	4	5	2	1	6	8	7
2	8	5	6	7	4	9	1	3

page 56

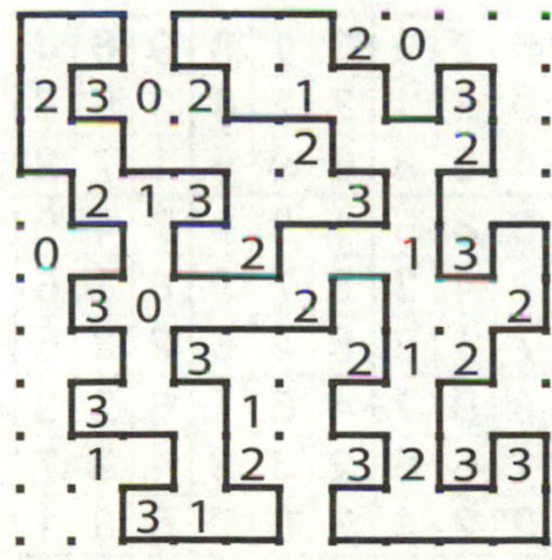

page 59

5	4	9	1	6	7	3	2	8
3	1	8	2	9	5	6	4	7
6	7	2	8	3	4	9	5	1
4	9	3	6	8	1	5	7	2
2	5	6	7	4	9	1	8	3
7	8	1	5	2	3	4	6	9
8	3	5	4	1	2	7	9	6
9	6	7	3	5	8	2	1	4
1	2	4	9	7	6	8	3	5

page 60

7	8	3	9	6	2	5	4	1
4	2	6	5	8	1	7	9	3
5	1	9	3	7	4	6	2	8
1	6	8	4	2	5	3	7	9
3	5	4	6	9	7	8	1	2
9	7	2	1	3	8	4	5	6
8	4	1	2	5	3	9	6	7
6	3	5	7	1	9	2	8	4
2	9	7	8	4	6	1	3	5

page 61

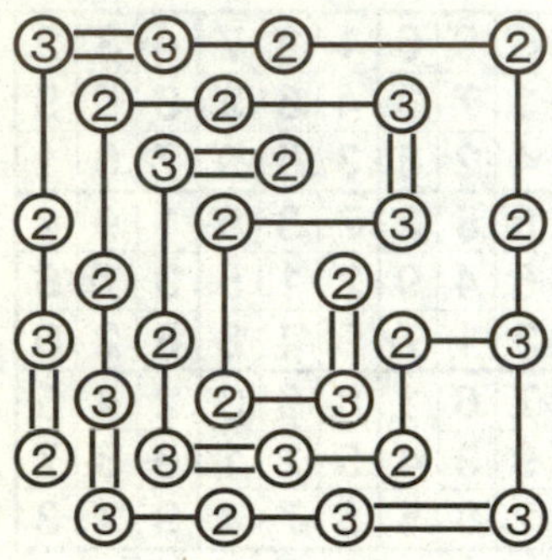

page 62

3	5	7	4	1	6	8	2	9
1	4	8	2	9	5	7	3	6
6	2	9	8	7	3	5	4	1
8	9	6	7	2	4	3	1	5
5	1	2	6	3	8	9	7	4
7	3	4	9	5	1	2	6	8
9	8	1	3	4	7	6	5	2
4	6	3	5	8	2	1	9	7
2	7	5	1	6	9	4	8	3

page 63

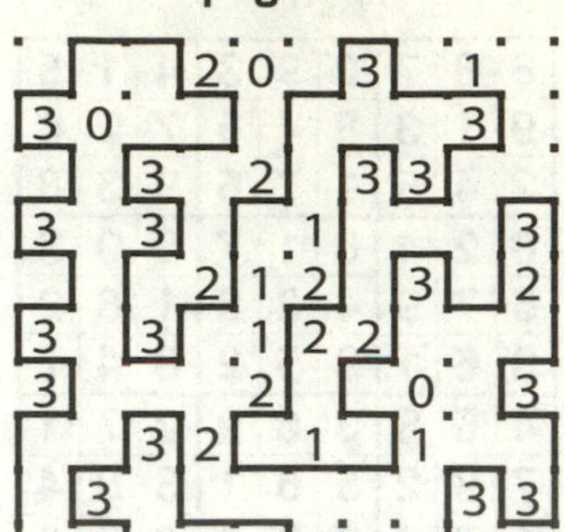

page 64

7	2	8	4	6	9	5	1	3
1	9	3	2	7	5	4	6	8
4	6	5	1	8	3	2	7	9
5	1	7	3	2	4	8	9	6
9	4	6	5	1	8	7	3	2
8	3	2	6	9	7	1	4	5
2	8	4	7	3	6	9	5	1
6	7	9	8	5	1	3	2	4
3	5	1	9	4	2	6	8	7

page 65

5	7	2	3	1	8	9	6	4
9	6	1	7	2	4	3	5	8
4	3	8	6	9	5	1	7	2
6	8	5	1	3	2	7	4	9
2	4	3	5	7	9	8	1	6
7	1	9	8	4	6	2	3	5
8	9	7	4	5	1	6	2	3
1	5	6	2	8	3	4	9	7
3	2	4	9	6	7	5	8	1

page 66

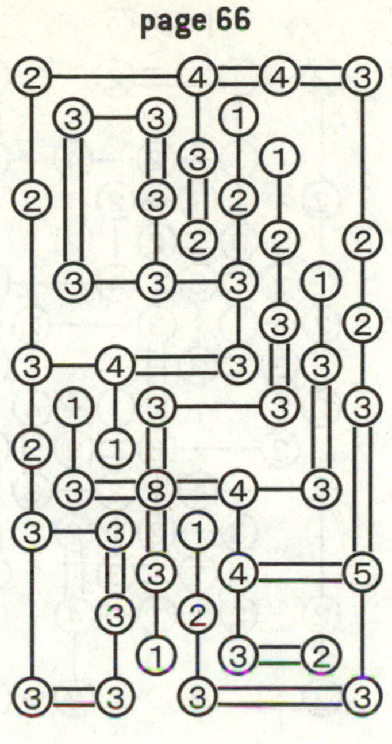

page 68

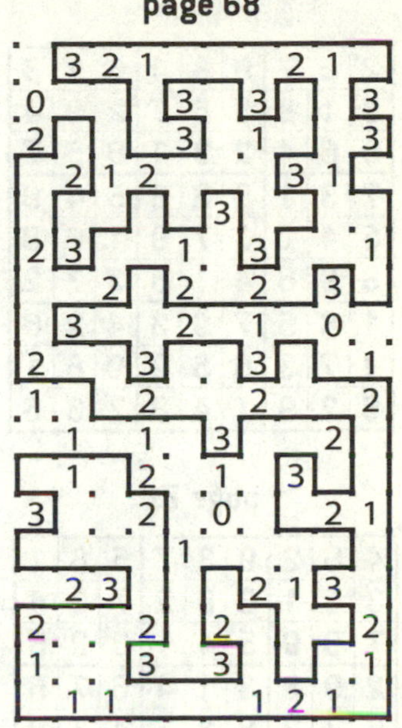

page 67

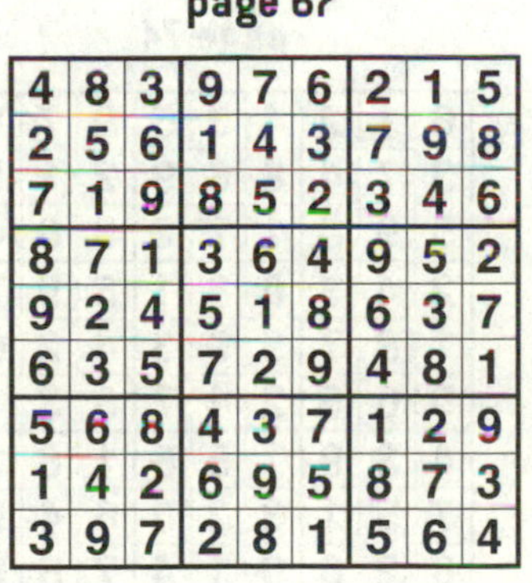

4	8	3	9	7	6	2	1	5
2	5	6	1	4	3	7	9	8
7	1	9	8	5	2	3	4	6
8	7	1	3	6	4	9	5	2
9	2	4	5	1	8	6	3	7
6	3	5	7	2	9	4	8	1
5	6	8	4	3	7	1	2	9
1	4	2	6	9	5	8	7	3
3	9	7	2	8	1	5	6	4

page 69

7	6	8	1	9	3	5	4	2
9	4	2	7	5	6	1	8	3
3	5	1	2	8	4	6	9	7
2	8	3	6	1	9	7	5	4
5	9	7	3	4	2	8	1	6
6	1	4	8	7	5	2	3	9
1	7	9	4	6	8	3	2	5
4	2	6	5	3	1	9	7	8
8	3	5	9	2	7	4	6	1

page 70

2	5	7	9	8	4	6	1	3
3	1	8	5	6	7	2	9	4
9	6	4	2	3	1	8	5	7
7	3	1	8	2	6	5	4	9
5	4	2	3	7	9	1	6	8
8	9	6	4	1	5	3	7	2
1	8	5	7	9	3	4	2	6
4	7	3	6	5	2	9	8	1
6	2	9	1	4	8	7	3	5

page 71

4	6	2	9	3	7	5	8	1
3	5	1	6	8	2	7	9	4
7	8	9	5	4	1	3	2	6
2	9	8	3	1	4	6	7	5
6	7	3	8	2	5	4	1	9
1	4	5	7	6	9	2	3	8
5	3	7	4	9	8	1	6	2
9	1	4	2	7	6	8	5	3
8	2	6	1	5	3	9	4	7

page 72

1	6	8	9	4	2	5	7	3
7	4	5	1	3	6	9	2	8
9	2	3	8	5	7	4	6	1
4	8	7	6	9	5	3	1	2
2	3	9	4	7	1	6	8	5
6	5	1	3	2	8	7	4	9
3	1	2	7	6	9	8	5	4
8	9	6	5	1	4	2	3	7
5	7	4	2	8	3	1	9	6

page 73

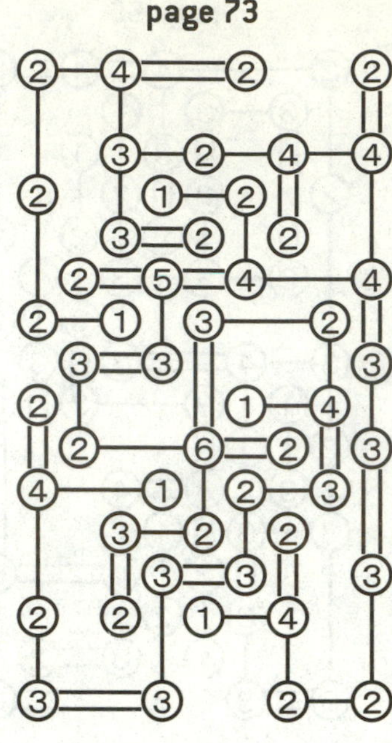

page 74

6	1	2	4	3	5	9	7	8
3	7	4	8	6	9	2	1	5
5	9	8	1	7	2	3	6	4
2	4	3	6	8	1	5	9	7
1	8	7	5	9	3	4	2	6
9	6	5	2	4	7	8	3	1
4	3	9	7	5	6	1	8	2
7	5	1	3	2	8	6	4	9
8	2	6	9	1	4	7	5	3

page 75

4	8	1	6	3	9	7	5	2
7	2	3	5	4	8	9	1	6
6	9	5	1	7	2	4	8	3
1	6	7	2	8	3	5	9	4
3	5	9	4	6	7	8	2	1
8	4	2	9	5	1	6	3	7
9	7	6	3	2	5	1	4	8
2	1	4	8	9	6	3	7	5
5	3	8	7	1	4	2	6	9

page 76

7	4	6	5	1	8	3	2	9
9	8	2	4	6	3	7	1	5
3	5	1	2	7	9	8	6	4
8	7	3	6	9	1	4	5	2
4	1	5	7	8	2	9	3	6
6	2	9	3	5	4	1	7	8
1	6	4	9	2	7	5	8	3
2	3	7	8	4	5	6	9	1
5	9	8	1	3	6	2	4	7

page 77

1	8	2	9	4	6	7	3	5
6	3	4	1	5	7	8	9	2
5	9	7	3	8	2	6	4	1
7	6	8	2	1	3	9	5	4
2	1	5	7	9	4	3	6	8
3	4	9	8	6	5	2	1	7
4	2	6	5	7	9	1	8	3
8	5	3	6	2	1	4	7	9
9	7	1	4	3	8	5	2	6

page 78

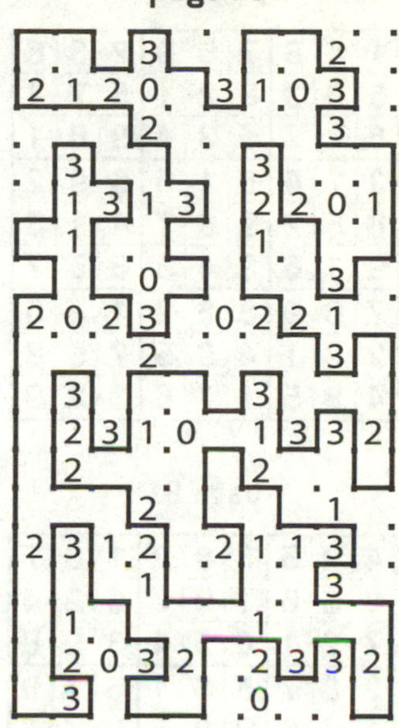

page 79

2	3	7	4	9	8	1	6	5
8	1	9	2	6	5	4	7	3
6	5	4	1	7	3	2	9	8
4	2	3	9	8	6	7	5	1
5	8	1	3	2	7	6	4	9
9	7	6	5	4	1	8	3	2
1	9	2	7	5	4	3	8	6
3	4	8	6	1	9	5	2	7
7	6	5	8	3	2	9	1	4

page 80

1	4	8	7	5	9	2	3	6
6	9	3	8	2	1	5	7	4
5	2	7	6	3	4	9	8	1
3	7	4	5	1	8	6	9	2
8	5	2	9	6	7	4	1	3
9	1	6	2	4	3	8	5	7
7	6	9	3	8	2	1	4	5
2	3	1	4	9	5	7	6	8
4	8	5	1	7	6	3	2	9

page 81

4	9	5	3	8	2	1	6	7
8	3	6	1	9	7	5	2	4
7	2	1	6	5	4	3	9	8
2	8	7	5	3	1	6	4	9
1	4	3	9	2	6	8	7	5
5	6	9	7	4	8	2	3	1
6	1	4	2	7	5	9	8	3
3	5	8	4	6	9	7	1	2
9	7	2	8	1	3	4	5	6

page 82

6	9	5	7	4	1	8	3	2
7	2	1	3	9	8	6	5	4
4	3	8	2	5	6	9	7	1
2	7	4	8	1	9	3	6	5
1	8	9	5	6	3	4	2	7
3	5	6	4	2	7	1	8	9
5	1	3	9	8	2	7	4	6
9	4	7	6	3	5	2	1	8
8	6	2	1	7	4	5	9	3

page 83

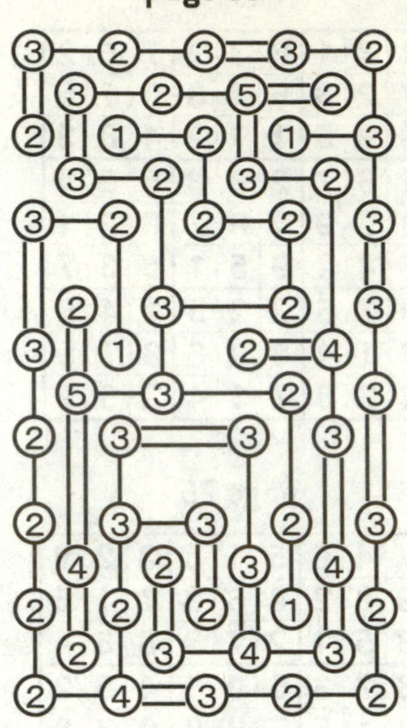

page 84

3	4	5	1	6	9	7	8	2
6	1	2	8	7	4	3	5	9
9	8	7	3	2	5	4	1	6
4	2	3	5	9	7	1	6	8
7	5	6	4	8	1	2	9	3
8	9	1	6	3	2	5	4	7
1	7	9	2	5	6	8	3	4
5	6	8	7	4	3	9	2	1
2	3	4	9	1	8	6	7	5

page 85

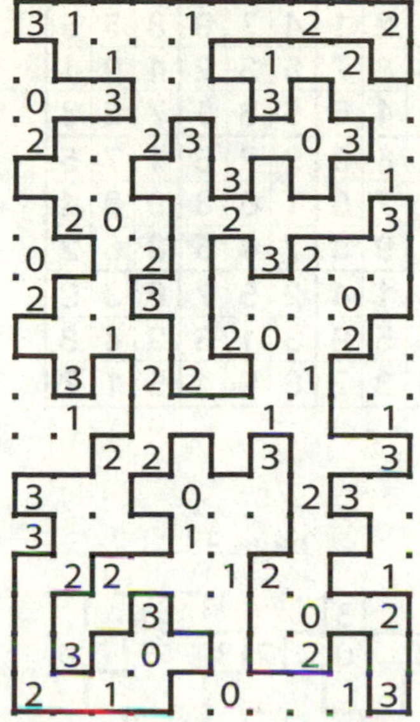

page 86

5	3	9	2	8	4	6	7	1
7	8	1	3	6	5	9	2	4
4	2	6	1	9	7	3	8	5
8	7	5	4	2	3	1	9	6
1	9	3	6	7	8	4	5	2
2	6	4	5	1	9	8	3	7
6	4	8	9	5	2	7	1	3
3	5	7	8	4	1	2	6	9
9	1	2	7	3	6	5	4	8

page 87

6	2	7	1	4	8	5	9	3
5	9	1	6	2	3	7	8	4
3	4	8	7	9	5	1	2	6
9	1	3	4	8	7	2	6	5
7	8	6	2	5	9	4	3	1
4	5	2	3	6	1	9	7	8
8	6	9	5	1	2	3	4	7
2	7	5	8	3	4	6	1	9
1	3	4	9	7	6	8	5	2

page 88

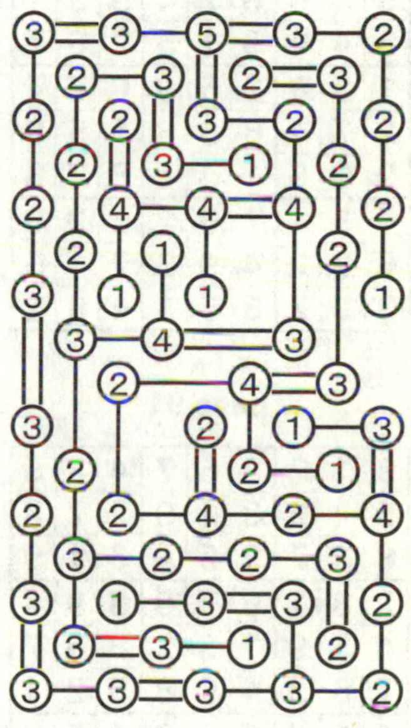

page 89

8	2	4	5	9	3	6	7	1
3	5	6	2	1	7	4	9	8
1	7	9	4	8	6	2	5	3
2	4	1	9	5	8	3	6	7
5	8	3	6	7	2	9	1	4
9	6	7	1	3	4	8	2	5
7	3	2	8	6	5	1	4	9
4	1	8	7	2	9	5	3	6
6	9	5	3	4	1	7	8	2

page 92

3	2	1	4	7	9	8	5	6
5	8	7	6	3	2	4	9	1
9	4	6	5	8	1	7	2	3
4	6	3	9	2	8	1	7	5
2	7	5	1	6	3	9	8	4
1	9	8	7	4	5	3	6	2
8	1	4	2	5	7	6	3	9
7	5	9	3	1	6	2	4	8
6	3	2	8	9	4	5	1	7

page 90

7	1	3	9	2	6	5	4	8
5	2	6	8	7	4	9	3	1
8	4	9	3	1	5	2	6	7
1	3	8	2	5	9	6	7	4
2	7	4	6	3	8	1	5	9
9	6	5	1	4	7	8	2	3
4	5	1	7	8	2	3	9	6
6	8	2	4	9	3	7	1	5
3	9	7	5	6	1	4	8	2

page 93

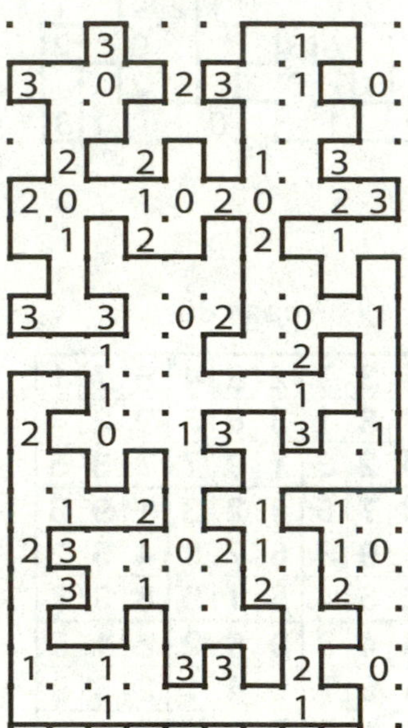

page 91

9	1	2	8	6	7	4	3	5
5	4	6	3	1	9	2	7	8
8	3	7	2	5	4	6	1	9
2	8	1	6	7	5	3	9	4
4	5	9	1	3	2	8	6	7
7	6	3	4	9	8	5	2	1
6	9	8	7	4	3	1	5	2
3	2	5	9	8	1	7	4	6
1	7	4	5	2	6	9	8	3

page 94

8	2	5	9	1	7	4	6	3
6	7	1	4	5	3	2	8	9
4	3	9	8	2	6	5	1	7
9	5	7	3	6	1	8	2	4
2	4	6	5	9	8	3	7	1
3	1	8	2	7	4	6	9	5
1	9	4	6	3	2	7	5	8
5	8	2	7	4	9	1	3	6
7	6	3	1	8	5	9	4	2

page 95

7	4	2	6	9	5	8	3	1
9	8	6	3	1	4	2	7	5
3	5	1	8	2	7	9	4	6
4	9	5	1	7	8	6	2	3
6	2	7	4	5	3	1	8	9
1	3	8	9	6	2	7	5	4
8	7	9	5	4	1	3	6	2
2	1	4	7	3	6	5	9	8
5	6	3	2	8	9	4	1	7

page 96

9	4	3	1	6	2	5	8	7
6	7	5	3	8	4	2	9	1
1	8	2	9	5	7	4	3	6
4	5	7	6	2	3	9	1	8
2	1	8	7	4	9	6	5	3
3	9	6	8	1	5	7	4	2
8	2	4	5	7	1	3	6	9
7	3	1	4	9	6	8	2	5
5	6	9	2	3	8	1	7	4

page 97

2	4	3	6	7	1	8	5	9
5	9	1	3	4	8	7	6	2
7	8	6	9	5	2	1	4	3
3	6	7	2	8	5	4	9	1
4	2	8	1	9	7	6	3	5
1	5	9	4	6	3	2	8	7
6	1	5	8	2	9	3	7	4
9	3	4	7	1	6	5	2	8
8	7	2	5	3	4	9	1	6

page 98

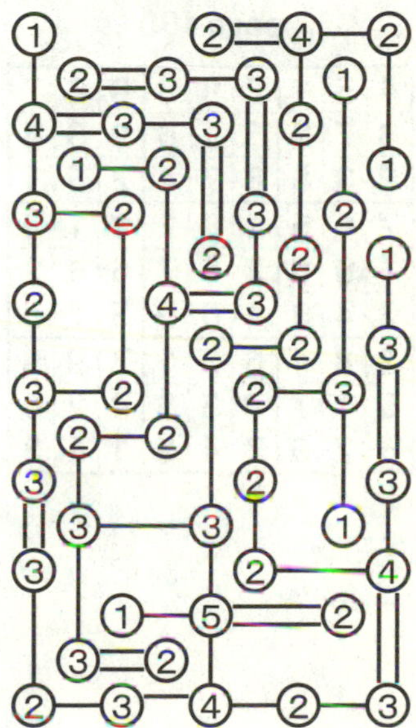

page 99

5	3	1	6	8	4	2	9	7
4	6	8	2	9	7	3	1	5
9	2	7	1	3	5	6	4	8
1	5	9	4	2	6	8	7	3
6	7	3	8	1	9	4	5	2
8	4	2	5	7	3	1	6	9
3	9	4	7	6	2	5	8	1
7	8	5	3	4	1	9	2	6
2	1	6	9	5	8	7	3	4

page 101

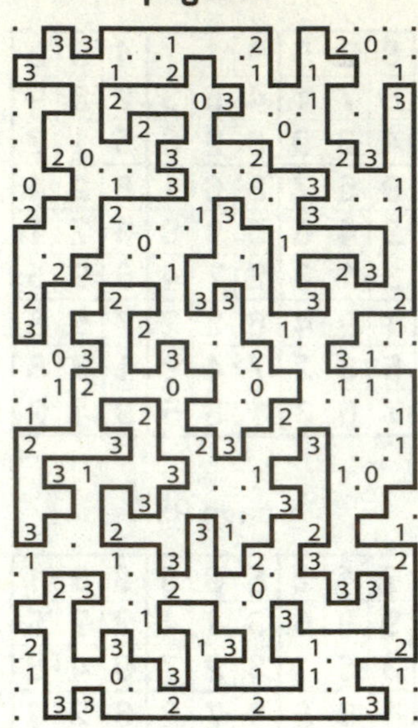

page 100

4	5	1	2	9	3	8	6	7
8	7	2	5	1	6	9	3	4
9	3	6	8	7	4	2	5	1
7	6	5	4	8	2	3	1	9
1	9	8	3	5	7	6	4	2
2	4	3	1	6	9	5	7	8
3	8	4	6	2	1	7	9	5
5	1	7	9	3	8	4	2	6
6	2	9	7	4	5	1	8	3

page 102

9	6	8	4	5	7	2	1	3
2	7	1	9	3	6	8	5	4
4	5	3	2	8	1	9	7	6
3	4	7	8	1	9	5	6	2
8	1	6	3	2	5	4	9	7
5	9	2	7	6	4	1	3	8
1	2	4	5	7	3	6	8	9
6	3	9	1	4	8	7	2	5
7	8	5	6	9	2	3	4	1

page 103

1	8	3	2	5	7	9	6	4
5	9	4	8	1	6	3	7	2
6	2	7	4	3	9	8	1	5
9	4	1	7	6	3	5	2	8
3	7	6	5	8	2	1	4	9
8	5	2	1	9	4	6	3	7
2	1	9	3	7	5	4	8	6
7	6	8	9	4	1	2	5	3
4	3	5	6	2	8	7	9	1

page 105

5	2	1	8	3	9	7	4	6
8	9	6	7	4	1	2	3	5
4	3	7	2	6	5	9	1	8
1	5	4	6	2	8	3	9	7
3	6	2	9	5	7	1	8	4
7	8	9	3	1	4	6	5	2
6	7	5	1	8	3	4	2	9
9	1	8	4	7	2	5	6	3
2	4	3	5	9	6	8	7	1

page 104

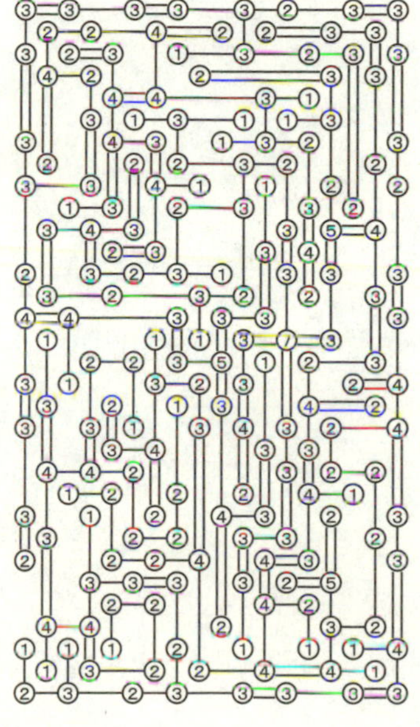

page 106

page 107

2	5	9	1	8	7	3	4	6
7	8	4	3	6	5	9	2	1
1	6	3	4	2	9	8	7	5
9	1	5	2	4	8	6	3	7
4	7	6	9	1	3	2	5	8
3	2	8	5	7	6	4	1	9
6	3	1	8	5	4	7	9	2
5	9	7	6	3	2	1	8	4
8	4	2	7	9	1	5	6	3

page 108

4	1	8	9	6	7	5	2	3
7	5	6	8	3	2	9	4	1
2	3	9	1	5	4	7	8	6
1	8	4	5	2	9	3	6	7
9	7	2	3	4	6	1	5	8
3	6	5	7	8	1	4	9	2
6	2	3	4	1	5	8	7	9
5	9	1	6	7	8	2	3	4
8	4	7	2	9	3	6	1	5